MON IMAGIER DE TOUS LES JOURS

400 PHOTOS POUR APPRENDRE SES PREMIERS MOTS

MILAN jeunesse

SOMMAIRE

p.6 LES ANIMAUX

Bienvenue à la ferme p. 6
Dans les champs et les prés p. 10
Au creux des bois p. 12
Tout là-haut dans la montagne p. 14
Du côté des pôles p. 16
Tout au fond de l'eau p. 18
Dans la savane brûlante p. 20
Au cœur de la jungle p. 22

p.24 LA NATURE

Au fil des saisons p. 24
Une promenade sur les chemins p. 26
Une balade sur la plage p. 28

p.30 LES ALIMENTS

Des fruits bien sucrés p. 30
Des légumes bien croquants p. 32
C'est l'heure du petit déjeuner. p. 34
J'ai soif! p. 36
Du sel ou du poivre? p. 37
J'ai faim! p. 38
Miam, des desserts! p. 40
Je mets la table. p. 42
Pour Bébé p. 43

p.44 LA MAISON

Dans ma cuisine p. 44
Mon salon salle à manger p. 46
C'est l'heure du bain! p. 48
C'est ma chambre! p. 50
L'atelier de papa et maman p. 52

p.54 LES JEUX ET JOUETS

Le coin des bébés p.54
Je construis, je dessine... p.56
Vive les filles! p.58
Vive les garçons! p.59
Je joue encore! p.60
Jouons ensemble! p.61
Tous dehors! p.62
C'est moi le musicien! p.64

p.66 À L'ÉCOLE

Voici ma classe p.66
Je joue, j'apprends... p.68
Ma journée p.70

p.72 LA VILLE

C'est là que j'habite! p.72
Je fais les courses p.74

p.76 LES VÊTEMENTS

Dodos et sous-vêtements p.76
Je m'habille p.78
Mes petits pieds p.82
Des accessoires p.83

p.84 LES MOYENS DE TRANSPORT

Pas trop vite! p.84
En voiture! p.86
Les gros camions p.88
Attention, travaux! p.90
Au secours! p.92
Tous ensemble! p.94
Les deux-roues p.95
Bateau sur l'eau... p.96
La tête dans les nuages p.98

p.100 LE CORPS HUMAIN

C'est mon corps! p.100
Je sens, j'entends... p.102

INDEX DES MOTS P. 104

Bienvenue à la ferme

la vache

Elle est élevée pour
produire du bon lait.

le lapin

Ce gourmand raffole
des carottes et des salades.

le cochon

Sais-tu comment s'appelle
mon petit ? Le goret !

le mouton

Tous les ans, on le tond
pour récupérer sa laine.

l'âne

Il est plus petit que le cheval…
mais a des oreilles bien plus longues !

le cheval

Ce cheval de la ferme aide
pour labourer les champs.

le poney

C'est un cheval de petite taille.
Il ne grandira plus !

la chèvre

La femelle a des cornes plus
petites que celles du mâle.

Bienvenue à la ferme

le chien

On dit que c'est le meilleur ami de l'homme.
Presque tous les fermiers ont un chien.

le chat

C'est un petit félin miniature. Ici,
il est calme mais gare à ses griffes !

le canard

Son célèbre «coin-coin» résonne
dans la ferme. On dit qu'il cancane.

le paon

Il déploie sa queue magnifique,
fait la roue et crie «Léon».

le coq

Il chante fort et clair ! Sa femelle est la poule et son petit, le poussin... Jolie famille !

le dindon

As-tu déjà entendu le drôle de cri du dindon ? On dit qu'il glougloute.

le pigeon

Cet oiseau-là, on le voit partout ! À la ferme, mais aussi en ville.

Dans les champs et les prés

la fourmi

On rencontre la fourmi noire dans les jardins et dans les bois.

le hérisson

Imagine ! Il porte environ 6 000 piquants sur son dos.

le rouge-gorge

On le voit souvent près des maisons. Et il n'a même pas peur d'y rentrer !

l'escargot

Quand il rentre dans sa coquille, c'est souvent pour dormir ou se protéger.

l'abeille

L'abeille fabrique le miel à partir du nectar de fleur qu'elle butine.

la mouche

C'est un insecte qui tourne souvent autour des animaux.

le ver de terre

On le trouve dans les jardins. Il dépasse souvent les 20 cm.

la coccinelle

Elle adore manger des pucerons. Peux-tu compter ses points ?

Au creux des bois

le sanglier

C'est un cochon sauvage
qui vit au fond des bois.

l'écureuil

Ce petit rongeur aime
bien les noisettes et les graines.

le renard

On trouve ce petit rusé dans
nos campagnes et près des poulaillers.

le cerf

Il ne sort qu'au lever et au coucher
du soleil pour brouter.

l'araignée

L'araignée tisse sa toile pour attraper des petits insectes et les manger.

le hibou

Ce rapace est très discret... Il ne sort que la nuit. Hou hou !

Vois-tu mon bébé ?

la grenouille

La grenouille vit aussi bien dans l'eau que sur la terre ferme.

le papillon

Lorsque les fleurs éclosent, le papillon n'est pas très loin !

Tout là-haut dans la montagne

la marmotte

L'hiver, la marmotte hiberne plusieurs mois dans son terrier.

la vipère

La vipère est un serpent avec une tête en forme de triangle. Il vaut mieux l'éviter !

la couleuvre

C'est une excellente... nageuse ! Et elle n'est pas dangereuse.

le lynx

Il a la taille d'un gros chat et a des pinceaux de poils au bout des oreilles.

la pieuvre

Elle chasse la nuit et saisit
sa proie avec ses tentacules.

le poisson-clown

Ce petit poisson coloré vit
dans les récifs coralliens.

l'otarie

Ses oreilles courtes et ses grands
yeux lui donnent un air rigolo.

la tortue

La tortue de mer vient pondre
ses œufs dans le sable.

Dans la savane brûlante

le lion

Le « roi de la savane » passe la majeure partie de la journée... à ne rien faire !

la hyène

Elle pousse un cri fou et très impressionnant, comme si elle riait !

l'éléphant

Les plus gros des éléphants pèsent le poids de 6 voitures !

le rhinocéros

Après l'éléphant, c'est le plus grand mammifère terrestre.

le zèbre

Qu'il est beau le zèbre avec
ses rayures blanches et noires !

la girafe

Du haut de ses 5 mètres,
elle voit venir le lion de très loin !

l'hippopotame

Il aime se prélasser dans les eaux
boueuses des grands fleuves.

le crocodile

Rusé, il choisit toujours le bon
moment pour passer à l'attaque.

Au cœur de la jungle

le gorille

Jusqu'à l'âge de 3 mois, le bébé se tient sur le dos de sa mère.

le singe

Quelle drôle d'expression ! Ce singe est un chimpanzé.

le caméléon

Ce petit reptile peut changer facilement de couleur pour se cacher.

le cobra

Ce serpent est très venimeux et très dangereux pour l'homme.

le paresseux

Il vit dans les grands arbres et passe
la plupart de son temps... à dormir !

le perroquet

L'oiseau le plus connu de la jungle.
Quelles couleurs !

la panthère

Elle court, elle saute, elle nage et elle
grimpe aux arbres. Une vraie sportive !

le tigre

Il vit en Asie. C'est le plus grand
et le plus puissant de tous les félins.

Au fil des saisons

le champ

Un champ est une grande étendue cultivée, avec des fleurs, des céréales...

les champignons

En automne, c'est le moment pour la cueillette des champignons.

les hirondelles

Le printemps est de retour et avec lui, nos amies hirondelles.

la migration

Brrr... Le vent d'hiver arrive. Les cigognes partent alors vers les pays chauds.

les quatre saisons

Une année est faite de quatre saisons : le printemps, l'été, l'automne et l'hiver. Le temps n'est pas le même, la nature change de couleurs, les jours se font plus courts ou plus longs...

le printemps

Youpi, il commence à faire beau ! Et les feuilles repoussent sur les arbres.

l'été

C'est la saison la plus chaude, celle où il pleut le moins... et celle des grandes vacances !

l'automne

Les feuilles changent de couleur puis tombent peu à peu de la plupart des arbres.

l'hiver

Il fait froid... La neige est arrivée, la nature s'est endormie. C'est la saison de Noël !

Une promenade sur les chemins

l'arbre

Ces bourgeons donneront bientôt de jolies fleurs.

les jonquilles

On donne un autre nom à la jonquille : la narcisse.

la rose

C'est sans doute la fleur la plus cultivée dans le monde.

la lavande

Ses pétales séchés et mis en sachets parfument nos armoires.

les feuilles

Ces feuilles mortes sont tombées des arbres.

le nid

Au printemps, les oiseaux construisent leur nid pour pondre leurs œufs.

le pissenlit

C'est une fleur très connue qui pousse dans les champs.

la marguerite

Tu peux les ramasser et en faire de très beaux bouquets.

Dans les prés ou les champs de blé, le coquelicot est la fleur de l'été.

Une balade sur la plage

la plage

Quand le vent souffle, il forme, à la surface de l'eau, des vagues qui viennent s'échouer sur cette plage de sable.

le coquillage

Sur le sable ou au fond de l'eau, tu trouveras plein de coquillages.

l'étoile de mer

La plupart des étoiles de mer ont cinq bras.

l'algue

Les algues aiment
s'accrocher aux rochers.

l'oursin

Il se déplace sur ses piquants
comme sur des échasses.

le crabe

Il aime bien vivre sous les pierres
ou dans les fentes des rochers.

Grâce à sa lumière, les bateaux
peuvent se diriger la nuit.

les galets

Mieux vaut avoir de bonnes
chaussures pour marcher dessus !

Des fruits bien sucrés

Pomme granny-smith

Pomme d'api

les pommes

Rouges, vertes ou jaunes,
les pommes sont belles à croquer !

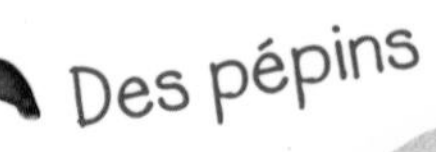

la pêche

La pêche a une peau
couverte de tous petits poils.

la poire

Granuleuse et très juteuse,
la chair de la poire est délicieuse.

Pomme golden

l'orange

Regarde bien ! Sa pulpe
est divisée en quartiers,
comme des petits triangles.

Délicieux étalés
sur du pain!

de la confiture

Pour faire de la confiture,
on cuit des fruits avec du sucre.

de la pâte à tartiner

Sur du pain ou dans des crêpes,
cette pâte chocolatée est un régal.

du beurre

On bat la crème du lait
pour fabriquer le beurre.

des céréales

Ces pétales croustillants
se dégustent avec du lait.

J'ai soif !

du lait

Tu peux boire le lait nature ou avec du chocolat en poudre.

du café

Des petits grains moulus avec de l'eau. Réservé aux grands !

du thé

Aux fruits, à la menthe… le thé a plein de parfums.

L'eau en bouteille s'appelle de l'eau minérale.

de l'eau

C'est la seule boisson indispensable pour notre corps.

Un fruit à presser !

du jus d'orange

En pressant de bonnes oranges, tu peux faire ton propre jus.

Du sel ou du poivre?

du sel

Il est récupéré à partir de l'eau de mer. Avec lui, plus rien n'est fade!

du poivre

C'est une épice. Moulu ou en grains, il donne aux plats un goût plus fort.

des huiles, du vinaigre

Il existe plusieurs sortes d'huiles et de vinaigres.

de la moutarde

Pour remplir ce pot, on écrase beaucoup de graines de moutarde.

J'ai faim!

du riz

Plein de petits grains qu'on va
faire bouillir dans l'eau.

de la purée

À base de pommes de terre,
c'est le plat préféré des petits.

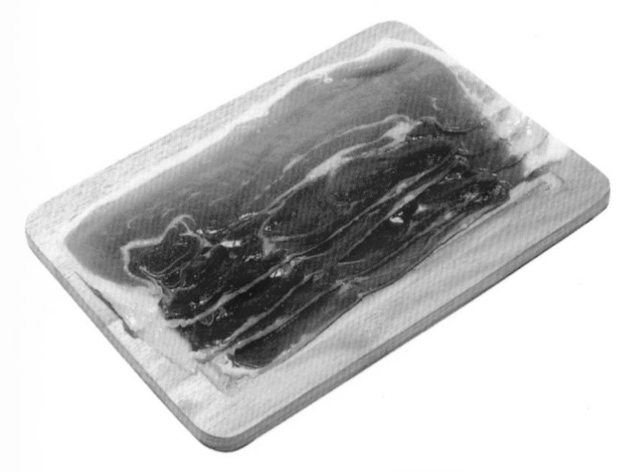

du jambon

Rouge, c'est du jambon cru,
rose, c'est du jambon cuit.

du fromage

Il y a des centaines de
fromages différents à goûter.

C'est du poisson...

... ça aussi !

du poisson

Saumon, poisson pané... Tout est bon pour manger du poisson !

Viande crue.

Viande cuite.

de la viande

Que préfères-tu ? Steack ou poulet ? Viande rouge ou viande blanche ?

l'œuf

À la coque, au plat, dur ou en omelette... Miam !

des pâtes

Elles sont fabriquées avec de la farine de blé.

Miam, des desserts !

le yaourt

Nature ou aux fruits, cet aliment contient essentiellement du lait.

la compote

Tu peux l'acheter toute faite, sinon il suffit de faire cuire des morceaux de fruits.

Ici, le chocolat est présenté en tablette.

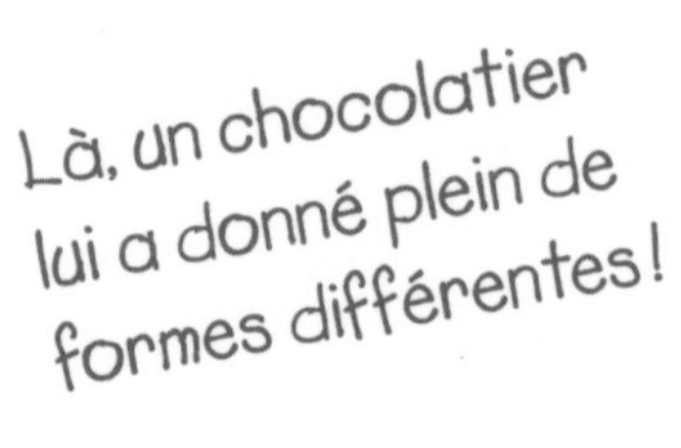

le chocolat

Noir, blanc ou au lait, le chocolat se mange sous des formes différentes : en tablettes ou en bonbons.

les crêpes

C'est la Chandeleur ! Prépare de délicieuses crêpes à déguster en famille ou avec des copains.

les biscuits

Un petit creux ? Rien ne vaut de bons biscuits au goûter ou au déjeuner.

la glace

C'est frais, c'est sucré et ça a plusieurs parfums. Mais oui, c'est une bonne glace !

la tarte

Tarte aux pommes ou tarte aux poires... Essaie aussi avec d'autres fruits !

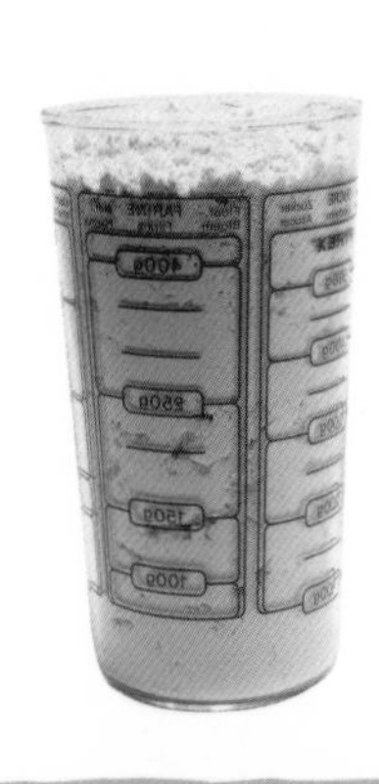

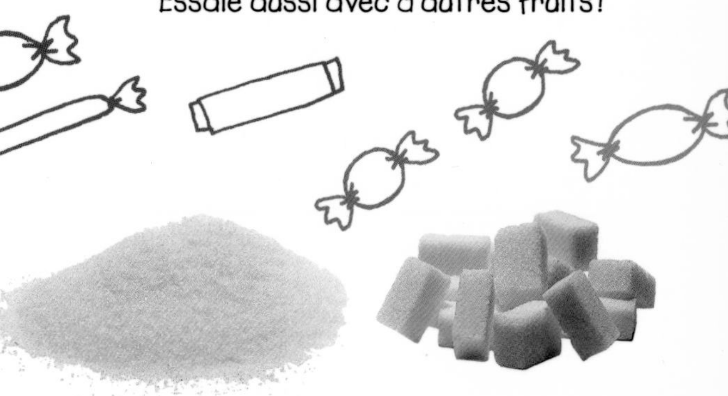

la farine

Un élément indispensable pour réussir de bons gâteaux.

le sucre

En poudre ou en morceaux, on l'utilise dans presque tous les desserts.

Je mets la table.

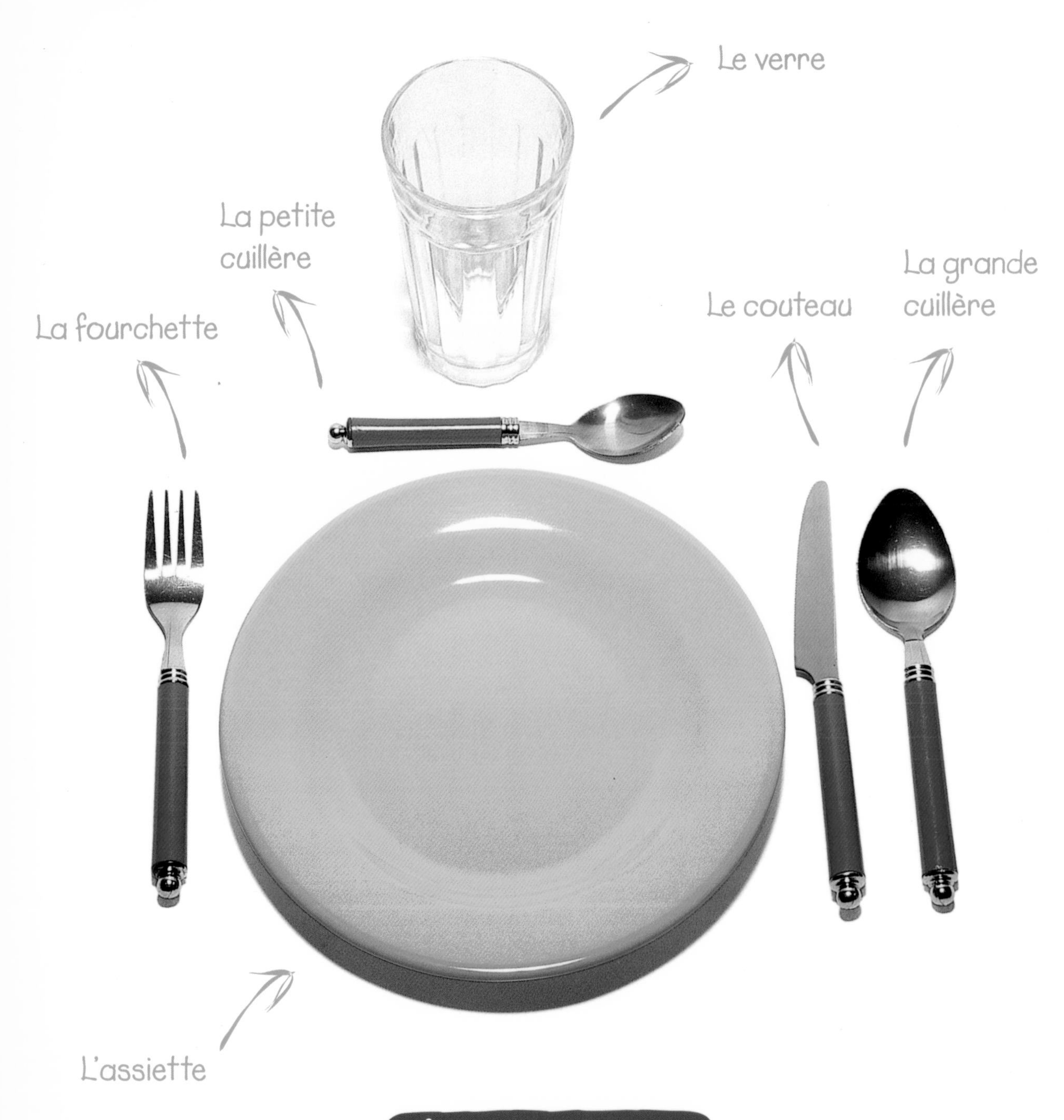

les couverts

Avant de manger, on met le couvert. Voici tout ce qu'il faut disposer sur la table.
Maintenant, il ne reste plus qu'à se dire « bon appétit » !

LES ALIMENTS
Pour Bébé

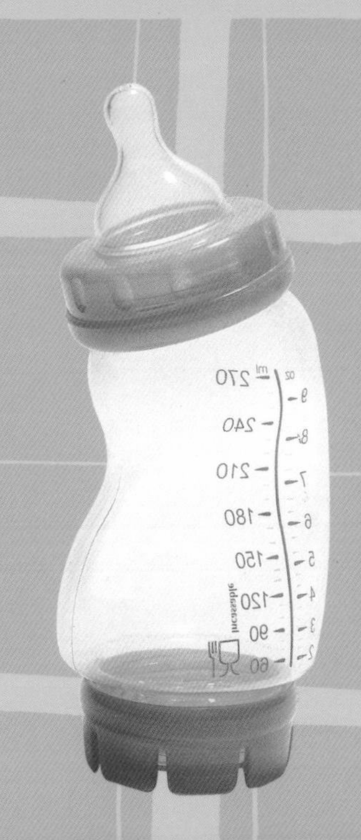

le biberon

Eau, lait, jus de fruits... C'est pratique de boire au biberon.

la tasse à bec

Première tasse pour boire tout seul, sans renverser !

le petit pot

Salé ou sucré, on le transporte partout et on le réchauffe vite fait.

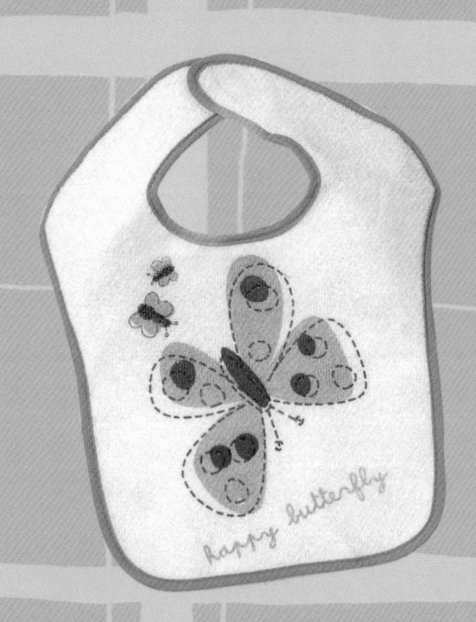

le bavoir

Avec lui, pas de taches sur les vêtements !

Dans ma cuisine

la cuisine

C'est la pièce de la maison où l'on fait à manger et où on conserve la nourriture.

La poêle

La cuillère en bois

La casserole

les ustensiles de cuisine

Pour préparer les repas, il vaut mieux être bien équipé : des casseroles pour réchauffer, des poêles pour frire, des cuillères en bois pour touiller...

le four micro-ondes

Il est petit, mais il chauffe
les aliments en un rien de temps.

la cafetière

Si papa et maman boivent du café,
il faut une cafetière à la maison.

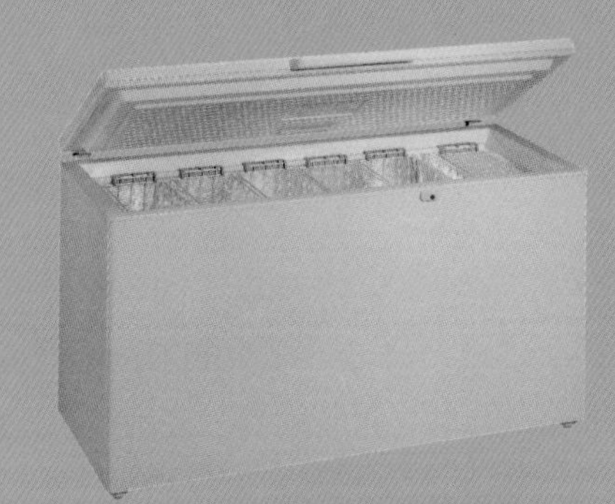

le congélateur

Grâce au froid, on peut garder les aliments
beaucoup plus longtemps.

le lave-vaisselle

Il tourne et tourne encore pour
laver les couverts et plats sales.

le réfrigérateur

Une armoire dans la cuisine ? Le « frigo »
garde au frais ce que tu manges.

la cuisinière

Dans son four ou sur ses brûleurs,
on fait chauffer de bons plats !

Mon salon salle à manger

la salle à manger

Ici, la table est souvent plus grande que dans la cuisine. C'est l'endroit où toute la famille se retrouve pour manger. Chez toi, peut-être que la salle à manger est avec le salon ?

la chambre

C'est la pièce dans laquelle tu dors, tu joues, mais aussi l'endroit où tu gardes tous tes secrets. Et toi, comment est ta chambre ?

L'atelier de papa et maman

sur l'établi, il y a...

L'établi est la table de tous les bricoleurs.
Dessus, on peut couper, scier, percer, raboter...

le pinceau

L'outil idéal pour peindre
de petites surfaces ou des recoins.

le rouleau

Grâce à lui, la peinture s'étale,
comme par magie, sur tous les murs.

la scie sauteuse

Moins fatigante à manier que la scie, elle est
aussi plus lourde et marche à l'électricité.

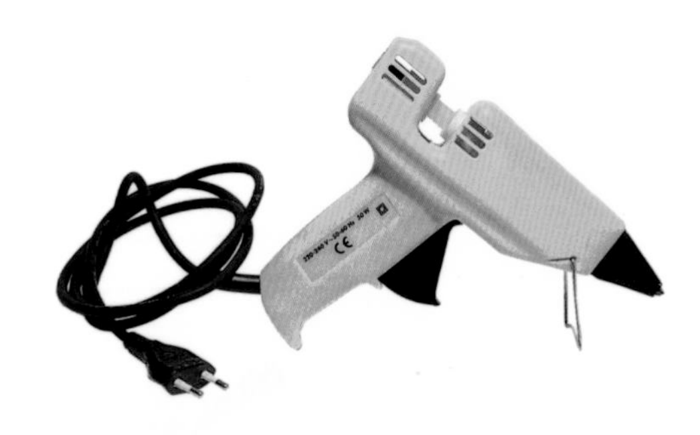

le pistolet à colle

On utilise ce pistolet pour appliquer
de la colle chaude sur différentes surfaces.

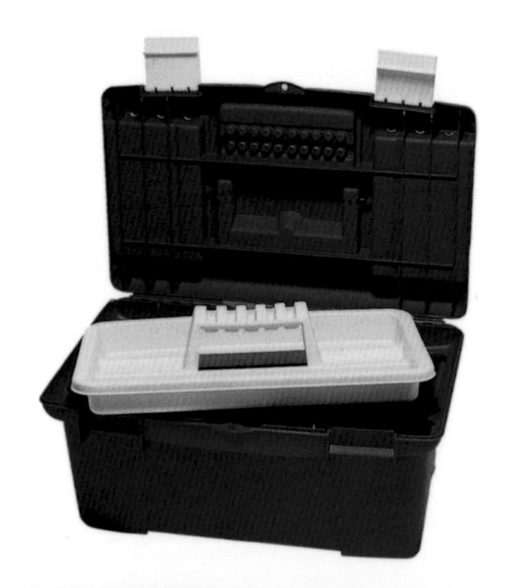

la caisse à outils

C'est comme un coffre au trésor ! Elle peut
contenir la plupart des outils de la maison.

la perceuse

Indispensable pour faire des trous,
elle perce le bois et même le métal.

Le coin des bébés

Il tourne et fait de la musique.

le mobile

Beaucoup de bébés en ont un au-dessus de leur lit.

le transat

C'est un siège pour les bébés, avant qu'il ne sache s'asseoir tout seul.

le cheval à bascule

Une fois en avant, une fois en arrière... Trop rigolo !

le hochet

Il fait du bruit quand on le secoue et il est très coloré.

les jouets sonores

Retourne-les, secoue-les...
si tu veux faire du bruit !

les jouets de bain

Dans le bain, ils flottent
et crachent dans l'eau.

Morceau de tissu, petites
ou grandes peluches...
à chacun de choisir
son doudou !

le doudou

C'est comme ça que s'appelle
le premier ami des enfants.
Comment est le tien ?

LES JEUX ET JOUETS

Je construis, je dessine...

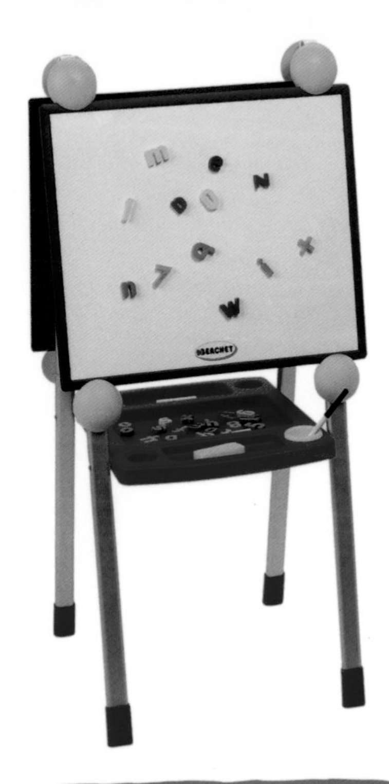

les anneaux

Ce petit jeu d'adresse t'apprend aussi à compter.

le tableau

C'est amusant de jouer avec des lettres et d'imiter la maîtresse.

les petits cubes

Assemble chaque petit élément et construis selon tes envies.

Et si on s'amusait à enfiler des perles ?

la boîte à formes

Une croix, un carré, un triangle... Quelle forme va dans quel trou ?

les lettres

Quand tu connaîtras tout l'alphabet, tu pourras, avec ses lettres, former des mots.

l'ardoise magique

Tu t'es trompé ? Pas de problème ! Efface et recommence.

la pâte à modeler

Elle est molle et colorée. Avec elle, tu peux imaginer plein de formes différentes.

le coloriage

Difficile de colorier sans dépasser. Ce petit livre pourrait t'aider.

les feutres

Quel bonheur de jouer avec les couleurs. Allez, l'artiste, à toi de jouer !

les crayons de couleur

Leurs couleurs sont plus pâles que celles des feutres.

LES JEUX ET JOUETS

Vive les filles !

La poupée mannequin

la dînette

Tout est là pour faire
un bon repas.

la marchande

Les bons gâteaux !
Qui veut mes bons gâteaux ?

la poupée

Jolie poupée, comment vais-je
t'habiller aujourd'hui ?

le poupon

C'est un peu comme un vrai bébé
dont il faut s'occuper.

Vive les garçons !

le circuit

Ça tourne vite, très vite...
Attention au carambolage !

le garage

Il est pratique pour
garer toutes tes voitures.

Vois-tu où se trouve la gare ?

Qui perce ? Qui coupe ?
Qui tape ? Qui visse ?

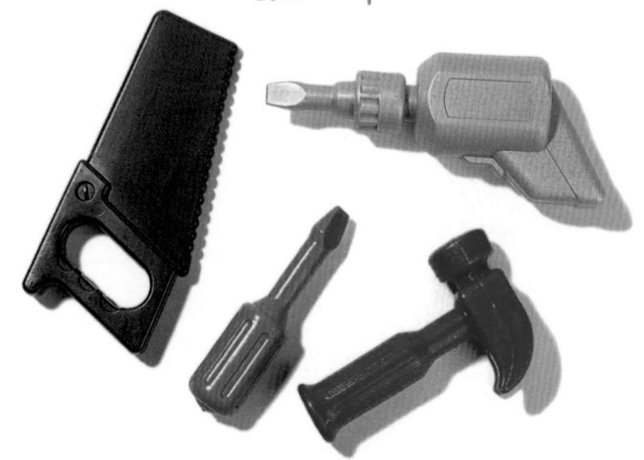

le petit train

Tchou, tchou ! Le petit train arrive
en gare avec tous les animaux.

les outils

Pour aider tes parents à bricoler
et apprendre à manier les outils.

Je joue encore !

les figurines animaux

Chèvre, vache, cheval… À toi de t'amuser
et de créer ta ferme miniature.

les bulles

Un peu d'eau, du savon
et tu souffles dans le rond.

l'appareil photo

Clic, clac ! Toutes les images
que tu aimes sont « dans la boîte ».

les osselets

Il faut les lancer pour
faire des figures.

Jouons ensemble !

6

1

18

12

les dés

Numérotés de 1 à 6, on les utilise pour jouer à des jeux de société.

le loto

Chance ou hasard ? Qui sait, tes numéros seront peut-être gagnants.

les dominos

Dessine un drôle de petit chemin en mettant les mêmes chiffres côte à côte.

les cartes

Il y a 4 motifs différents : cœur, carreau, pique et trèfle.

Les dames

Les petits chevaux

les jeux de société

Tous dehors !

Le seau

Le râteau
et le tamis

L'arrosoir

La pelle

Le moule

les jeux de plage

C'est l'été ! Sors ton attirail pour faire des pâtés ou de magnifiques châteaux de sable.

le cerf-volant

Il a besoin du vent pour prendre son envol. Youpi, c'est parti !

la piscine à balles

Plonge dans les balles avec tes amis ! C'est rigolo... et ça ne mouille pas.

les billes

Vertes, noires, bleues… elles sont comme des pierres précieuses multicolores.

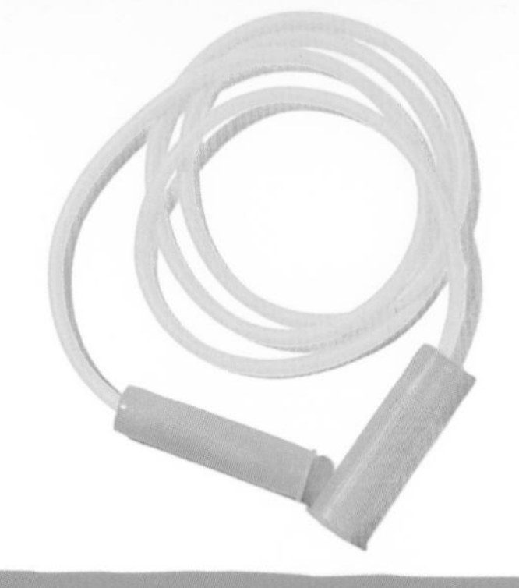

la corde à sauter

Il faut bien s'entraîner pour y arriver. C'est un peu fatigant mais très amusant.

C'est un ballon de foot.

le ballon

Pas besoin d'être un grand champion pour avoir un beau ballon.

le bilboquet

Lance la boule et fais en sorte qu'elle retombe bien sur le manche.

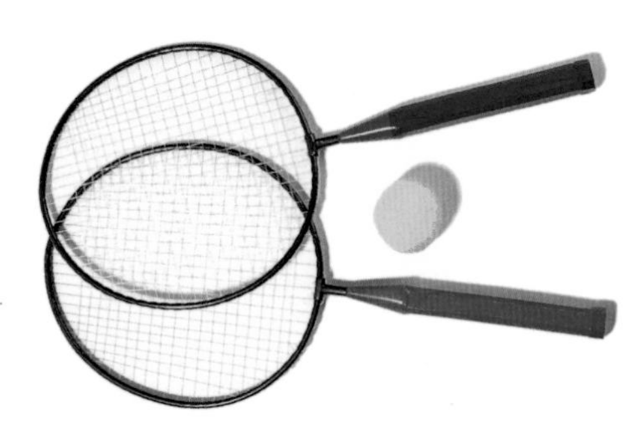

les raquettes

Envoie la balle à ton copain. Super pour jouer dans le jardin !

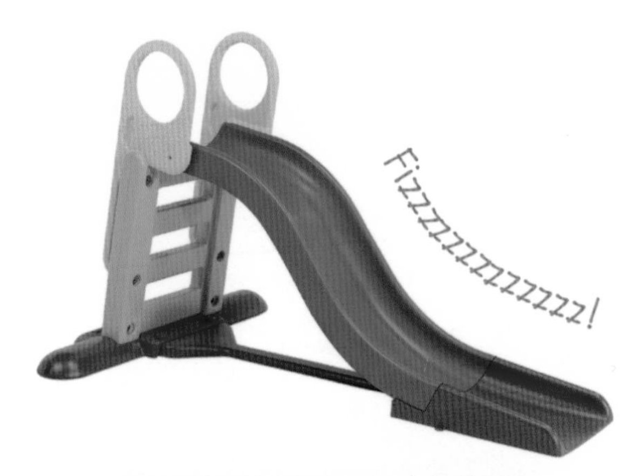

Fizzzzzzzzzzzzzz!

le toboggan

Assieds-toi, laisse-toi glisser et le tour est joué.

C'est moi le musicien !

La flûte de pan

La trompette

L'accordéon

L'harmonica

Le trombone

La flûte traversière

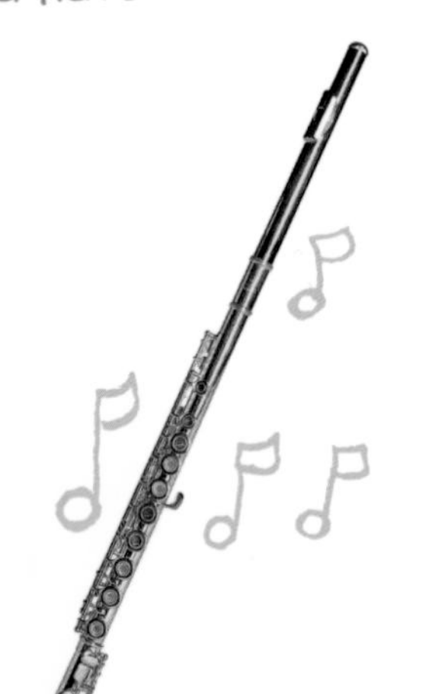

La flûte à bec

Le saxophone

les instruments à vent

Ces instruments vibrent grâce à un souffle d'air et font ainsi de jolis sons.

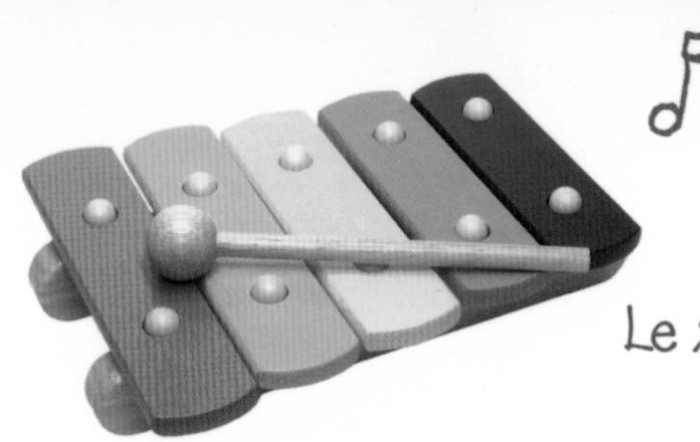

Le xylophone

La batterie

Les castagnettes

Le tambour

Les maracas

les instruments à percussion

Il faut frapper sur ces instruments ou les secouer pour obtenir un son.

Le piano

La guitare électrique

le piano à queue

La guitare sèche

Le violon

les instruments à cordes

De petits marteaux frappent les cordes du piano, l'archet caresse celles du violon et tes mains pincent celles de la guitare.

Voici ma classe

les portemanteaux et le vestiaire

En arrivant à l'école, on pend sa veste avec celle des autres.

Il existe aussi des casiers pour mettre toutes ses affaires.

la salle de classe

Dans la classe, il y a plusieurs espaces : un coin pour travailler avec le tableau, un coin pour jouer et faire plein d'activités.

a

Je joue, j'apprends...

le tablier

Quand on fait de la peinture, on a besoin d'un tablier pour ne pas se salir.

le chevalet

La maîtresse pose dessus une feuille ou un carton pour que tu puisses peindre.

la colle

On peut aussi s'amuser à faire des collages à l'école.

la gouache

Ces petits tubes sont bien pratiques pour choisir tout seul sa couleur.

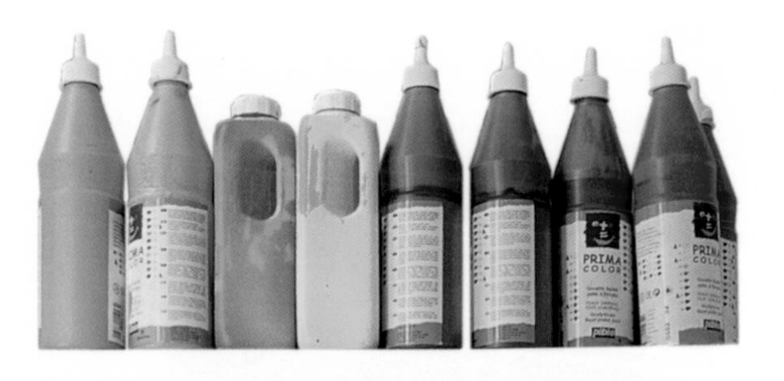

la peinture

À partir de ces grands pots, la maîtresse verse la peinture dans des petits gobelets.

les craies

Sur le tableau, tu peux écrire avec des craies de plusieurs couleurs.

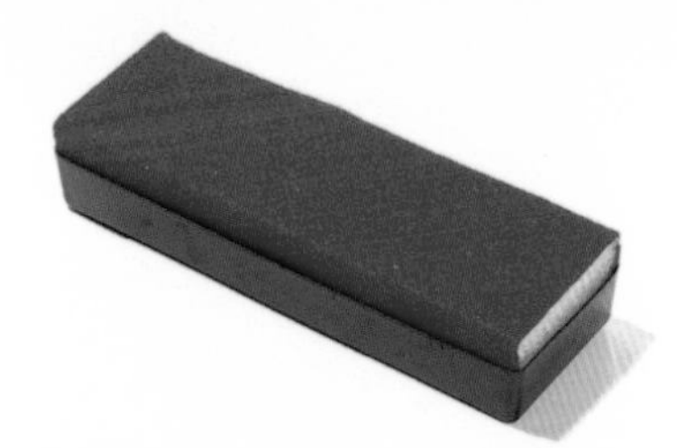

le tampon

Il sert à effacer ce que le maître ou la maîtresse a écrit sur le tableau.

l'aquarium

À l'école, il y a souvent un petit animal dont il faut s'occuper.

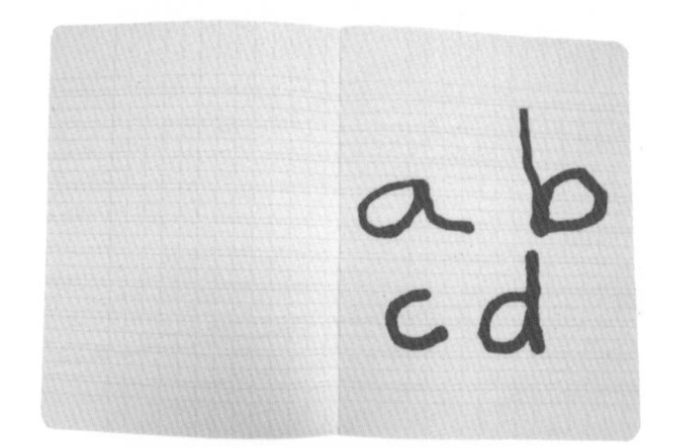

le cahier

Pour écrire ou dessiner. On y retrouve tout le travail de l'année.

les livres

Des histoires à raconter, un imagier pour découvrir le monde. Il n'y a pas d'âge pour lire !

les revues

Tu peux les acheter chez le marchand de journaux ou les recevoir à la maison.

Ma journée

le coin lecture

Bien au calme, bien au chaud, c'est l'endroit idéal pour se détendre et rêver.

le menu

Il te dit, chaque jour, ce que tu vas manger.

la cantine

C'est sur ces grandes tables que beaucoup d'enfants mangent à la cantine le midi.

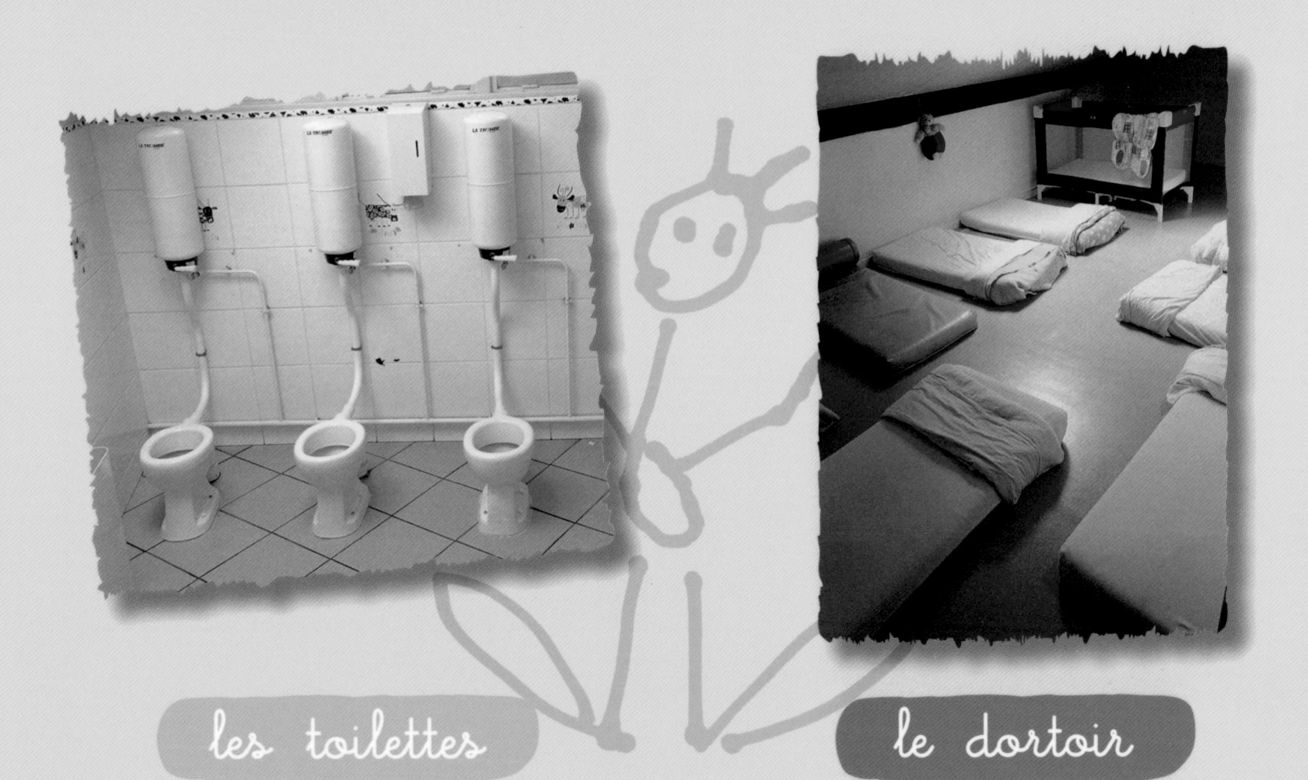

les toilettes

À l'école, les toilettes sont juste à ta taille.

le dortoir

Pour que les tout-petits puissent se reposer après le déjeuner.

la cour de récréation

Au milieu de chaque demi-journée, ça fait du bien de se dépenser, de courir, de jouer... Vite, tous dans la cour de récré !

C'est là que j'habite !

la grande ville

Une grande ville, comme ici Paris, est un endroit où beaucoup de monde habite.
Alors, il y a plus d'immeubles que de maisons.

le village

Un village est beaucoup plus petit qu'une ville. Il y a plus de maisons que d'immeubles.

l'immeuble

Les immeubles sont partagés en plusieurs appartements. Un par famille !

la maison

Une maison peut avoir un seul ou plusieurs étages.

le réverbère

La nuit venue, il va s'allumer pour éclairer les rues. Regarde, il y a aussi un kiosque avec une affiche publicitaire.

le panneau

En ville, tu verras plein de panneaux différents. Celui-ci te donne le nom de la ville où tu arrives et dit à quelle vitesse il faut rouler.

LA VILLE

Je fais les courses.

4€

le magasin de jouets

Derrière la vitrine, les jouets sont bien rangés.
Entre vite, tu pourras les toucher !

l'épicerie

On trouve tout ce qu'il faut
chez un bon épicier.

4€

1€

le marché

Sur le marché, des fermiers viennent souvent vendre les fruits et légumes qu'ils ont cultivés.

la boucherie

Steaks, côtelettes, escalopes...
La viande, c'est chez le boucher.

la boulangerie

C'est là qu'on vend le bon pain
que tu aimes manger.

le supermarché

De grands rayons, beaucoup de nourriture... Il faut un chariot pour tout porter !

Dodos et sous-vêtements

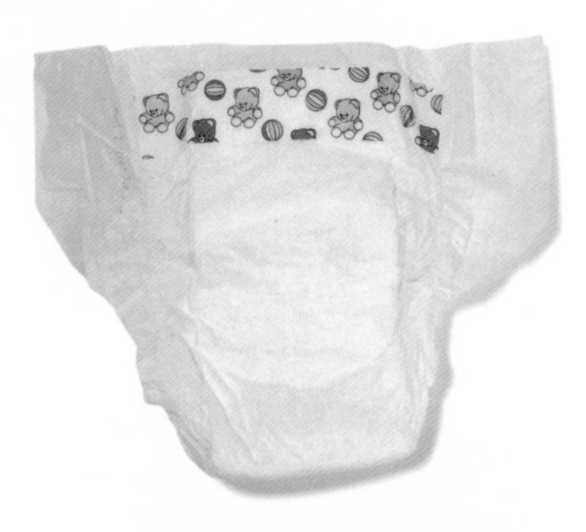

la couche

Pour les enfants qui ne savent pas encore se retenir.

la grenouillère

Le premier habit des tout-petits... même pas besoin de chaussettes !

la chemise de nuit

Les filles aiment bien porter une chemise de nuit pour dormir.

le pyjama

Quand on est un garçon, le soir, on met un pyjama.

le tee-shirt

Tu le portes souvent sous
un pull-over.

le body

Un tee-shirt pour petit, avec
une ouverture pour la couche.

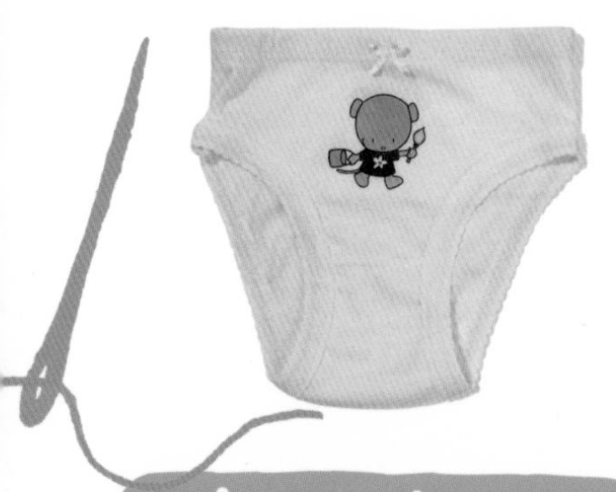

la culotte

Les filles portent
une culotte.

le slip

Ça, c'est la culotte
des garçons.

le caleçon

C'est un slip
un petit peu plus long.

les chaussettes

Avec elles, les pieds
sont tenus au chaud.

les collants

L'hiver, avec une jupe,
les filles portent des collants.

Je m'habille

Le short

Le bermuda

les shorts

Bermuda ou short, l'été il fait chaud et on montre ses jambes.

le pantalon

Il couvre les jambes. C'est lui que les garçons portent le plus souvent.

la jupe

Été comme hiver, elle s'ajuste à la taille.

la robe

C'est un peu comme une jupe qui monte jusqu'aux épaules.

la salopette

Ce drôle de pantalon a un petit haut à bretelles.

le sous-pull

Son col s'appelle un col roulé.
Il tient le cou bien au chaud.

le pull-over

Avec ses manches longues,
il protège bien du froid.

la chemisette

Quand il fait chaud, c'est agréable
d'avoir les bras à l'air.

la chemise

Elle se ferme sur le devant par
une série de petits boutons.

le sweat-shirt

Moins chaud que le pull,
il est pratique et résistant.

la veste

On la met souvent sur un pull
quand il fait très froid.

l'imperméable

Il pleut, il mouille... Sors ton imperméable, sa matière protège de la pluie.

le manteau

Il est indispensable pendant les longs mois d'hiver.

le blouson

Prêt à partir dans le froid ? Avec lui, dans la neige, tu ne crains rien.

l'écharpe

On l'enroule autour du cou pour le protéger du vent et du froid.

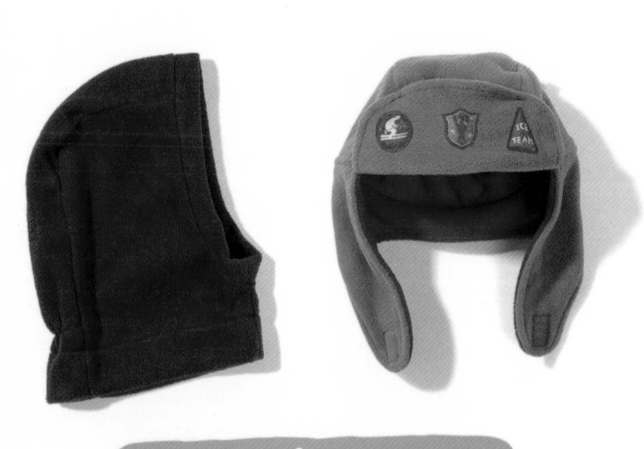

sur la tête

Le bonnet couvre bien les oreilles. La cagoule, elle, protège même le cou.

sur les mains

Moufles et gants sont le plus souvent en laine.

Je m'habille

le survêtement

Pour faire du sport,
c'est lui que tu prends.

le kimono

Quand on fait du judo,
on porte un kimono.

Le déguisement
de princesse

Le déguisement
de pirate

les déguisements

Pour les anniversaires ou pour carnaval, tout est permis.
Alors, pirate ou princesse ?

Mes petits pieds

On les porte pour faire du sport ou pour tous les jours.

les chaussures

Elles peuvent être à lacets
ou à bandes autocollantes.

les baskets

Pratiques et légères, elles
te permettent de courir vite.

les bottes de ski

On marche dans la neige
sans avoir froid aux pieds.

les bottes

Super pour sauter
dans les flaques !

les sandales

L'été, même en ville,
on fait « respirer » ses pieds.

les chaussons

Chauds et confortables,
tu les mets pour rester à la maison.

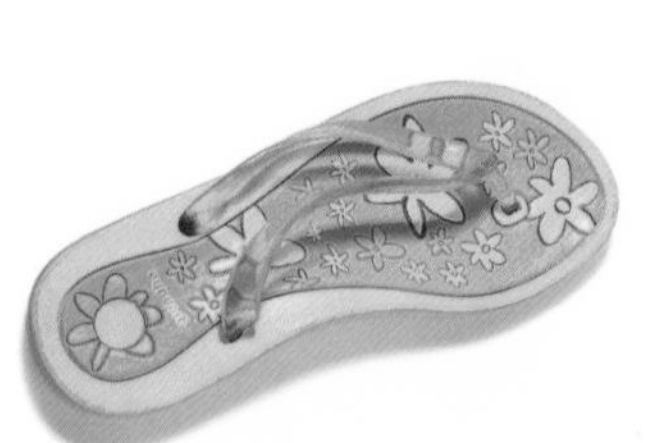

les tongues

Idéales pour marcher
dans le sable.

Des accessoires

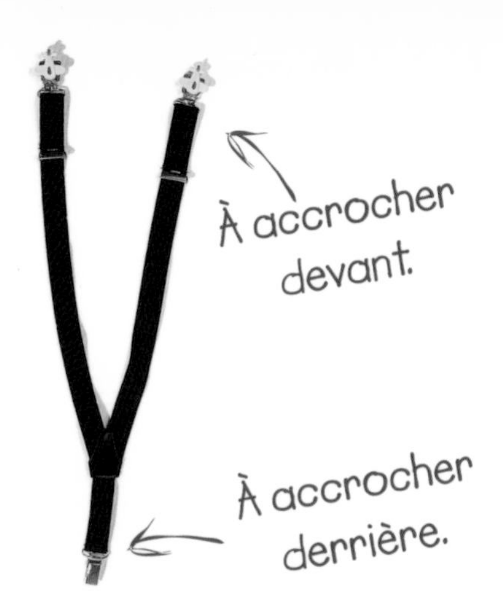

les bretelles

Elles s'accrochent au pantalon
et l'empêchent de tomber.

la ceinture

Utilise-la si ton pantalon
est trop grand.

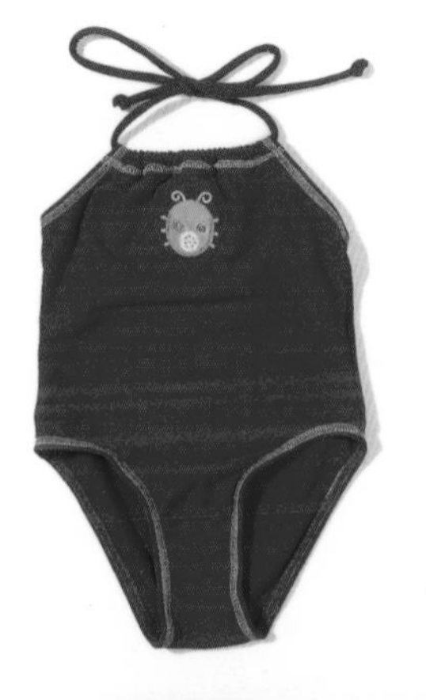

la casquette

Elle protège du soleil,
du vent ou de la pluie.

les maillots de bain

À ton avis, lequel est pour les filles et lequel
pour les garçons ?

le bonnet de bain

Tu as piscine aujourd'hui ? N'oublie pas
de le mettre sur la tête !

les lunettes de soleil

Le soleil peut faire mal aux yeux. N'oublie pas
ces lunettes dont les verres sont sombres.

Pas trop vite!

les rollers

Un moyen de transport,
mais aussi un jeu.

les patins à glace

Leurs lames glissent sur la glace et
permettent de faire de jolies pirouettes.

Il y a une barre devant pour que le tout-petit ne tombe pas.

la poussette

Elle est le premier moyen
de locomotion des tout-petits.

la trottinette

À 2 ou à 3 roues, il faut s'aider
du pied pour pouvoir glisser.

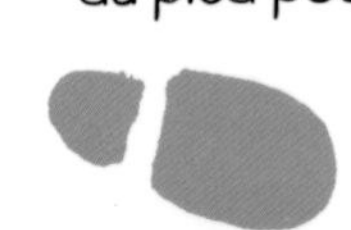

la télécabine

Grâce à elle, en montagne, on peut aller très haut.

le petit vélo

Pour ne pas tomber, il a 2 roues de plus sur le côté.

le vélo

Vas-y, pédale ! Ce sont tes jambes qui le font avancer.

l'attelage

Le cheval tire la calèche dans laquelle tu peux t'installer.

En voiture !

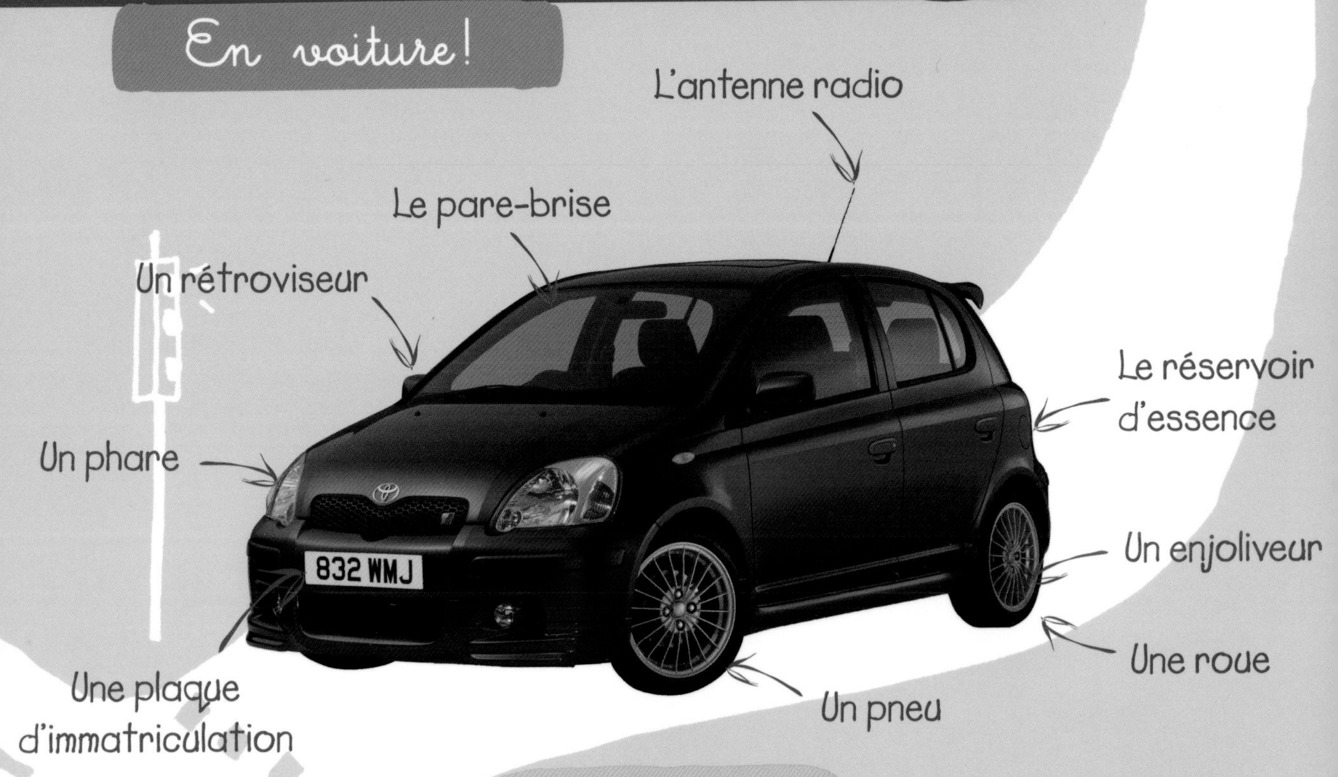

la voiture

Phare, pneu... connais-tu le nom de tout ce qu'il y a sur une voiture ?
Et sais-tu qu'il existe plein de sortes de voitures différentes ?

la formule 1

Elle peut aller très très vite. C'est une voiture qui ne roule que sur des circuits.

le cabriolet

Pour rouler les cheveux au vent, il a un toit qui se replie.

le 4 x 4

Montée sur des grosses roues, il peut rouler sur des routes très abîmées.

la voiture électrique

On recharge cette voiture à l'aide d'une prise électrique.

la traction

Aujourd'hui, cette voiture n'est plus fabriquée. Alors, il n'y en a plus beaucoup sur les routes.

la vieille voiture

Elle a plus de cent ans et ses roues sont en bois.

Les gros camions

la cabine

C'est la partie du camion réservée au chauffeur. On peut même dormir à l'intérieur de certaines d'entre elles !

C'est ici qu'on accroche les remorques.

le camion-remorque

Sur ce camion, la grosse remorque bleue ne peut pas être détachée de la cabine.

le camion poubelle

Tôt le matin ou tard le soir, il « avale » toutes les ordures.

le « déménageur »

Si tu changes de maison, papa et maman en loueront certainement un.

la bétaillère

Elle transporte des animaux. Sa remorque a des grilles pour qu'ils puissent respirer.

le camion-citerne

Sa citerne contient des produits liquides : du pétrole, de l'huile, du lait...

le camion frigorifique

Dans sa remorque, les produits surgelés sont conservés bien au froid.

la fourgonnette

Son nom rigolo veut dire « petit fourgon ».

Attention, travaux !

le tombereau

Six roues pour ce gigantesque et beau camion ! Il transporte la terre, les cailloux, les gravats... d'un bout à l'autre du chantier.

le camion toupie

Dans sa benne, il y a de grosses quantités de ciment. Il reste toujours frais et ne devient pas dur grâce à sa benne qui tourne.

la chargeuse

Ce véhicule est très utile pour ramasser la terre et la déposer plus loin.

le compacteur

Ce drôle d'engin écrase le gravier pour préparer la route à être goudronnée.

la tractopelle

Il peut à la fois faire des trous dans la terre et la ramasser une fois qu'elle est en tas.

le chargeur télescopique

Il a de grands bras avec lesquels il peut tout soulever.

le bulldozer

L'engin le plus connu du chantier ! Avec son incroyable force, il peut tout pousser.

le tracteur

Dans toutes les fermes, on trouve un tracteur.

Au secours !

l'hélicoptère

Rien de mieux qu'un « hélico » pour secourir un blessé en montagne.

le canadair

Il contient beaucoup d'eau qui sera versée sur les incendies de forêt.

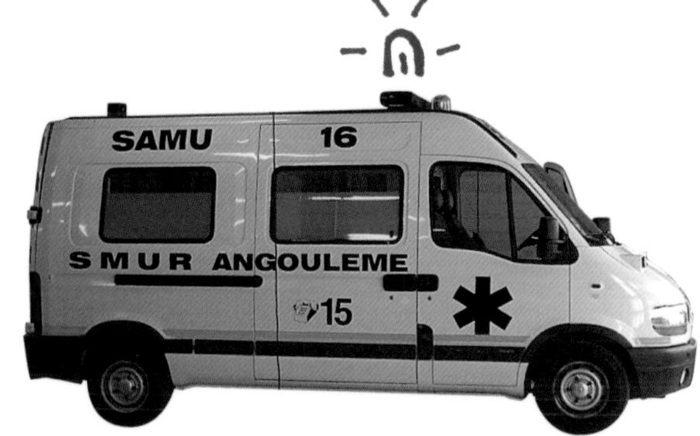

l'ambulance

Elle transporte, en urgence, les malades vers les hôpitaux.

la police

Rapide et maniable, la voiture de police a un beau gyrophare.

la dépanneuse

Quand une voiture est en panne, c'est elle que l'on appelle !

Le fourgon-pompe-tonne

La voiture de pompier

Le camion à grande échelle

bienvenue à la caserne !

Les pompiers travaillent dans une caserne. Là, on trouve toutes sortes d'engins pour lutter contre les incendies, intervenir sur les accidents… En voici quelques-uns.

Le véhicule de secours routier

Le camion-citerne

LES MOYENS DE TRANSPORT

Tous ensemble !

le bus

C'est un transport en commun très utilisé dans les villes.

le train

Il roule sur des rails et transporte ses passagers sur de longues distances. En France, le réseau de chemin de fer est très développé.

le tramway

C'est une sorte de métro en plein air qui fonctionne à l'électricité.

le métro

Loin des embouteillages, le métro se déplace sous la terre.

Les deux-roues

la moto

Elle a deux roues, comme un vélo, mais avec son moteur, elle va beaucoup plus vite !

la moto de course

Elle est spécialement fabriquée pour les compétitions.

le scooter

En ville, il peut se faufiler et se garer partout.

Bateau sur l'eau...

la barque

C'est un bateau sans moteur.
Avec lui, il faut savoir ramer !

la péniche

Elle navigue sur les fleuves et
transporte des matériaux.

le voilier

Quand il n'y a pas de vent,
inutile de mettre les voiles.

le ferry

Il n'emmène pas que des passagers.
Les voitures aussi peuvent y monter.

le hors-bord

Le moteur de ce bateau de course est très puissant. Regarde comme il « fonce » !

le paquebot

Ce grand navire emmène des gens en vacances sur toutes les mers du monde.

le yacht

Bateau de loisir, le yacht est presque aussi confortable qu'une petite maison.

La tête dans les nuages

le parachute

Il se déplie après un grand saut dans le ciel.

le parapente

On s'élance dans la pente et... hop ! On s'envole... en restant assis.

le deltaplane

Grâce à son aile triangulaire, il plane... comme son nom l'indique.

l'hélicoptère

Il décolle à la verticale et peut rester immobile dans les airs.

la fusée

Elle permet à l'homme de lancer des satellites dans l'espace.

la navette spatiale

Elle amène des savants dans l'espace pour des missions spéciales.

l'avion

Cet avion peut transporter beaucoup de passagers. Attention... décollage ! C'est grâce à ses réacteurs que l'avion s'envole.

C'est mon corps !

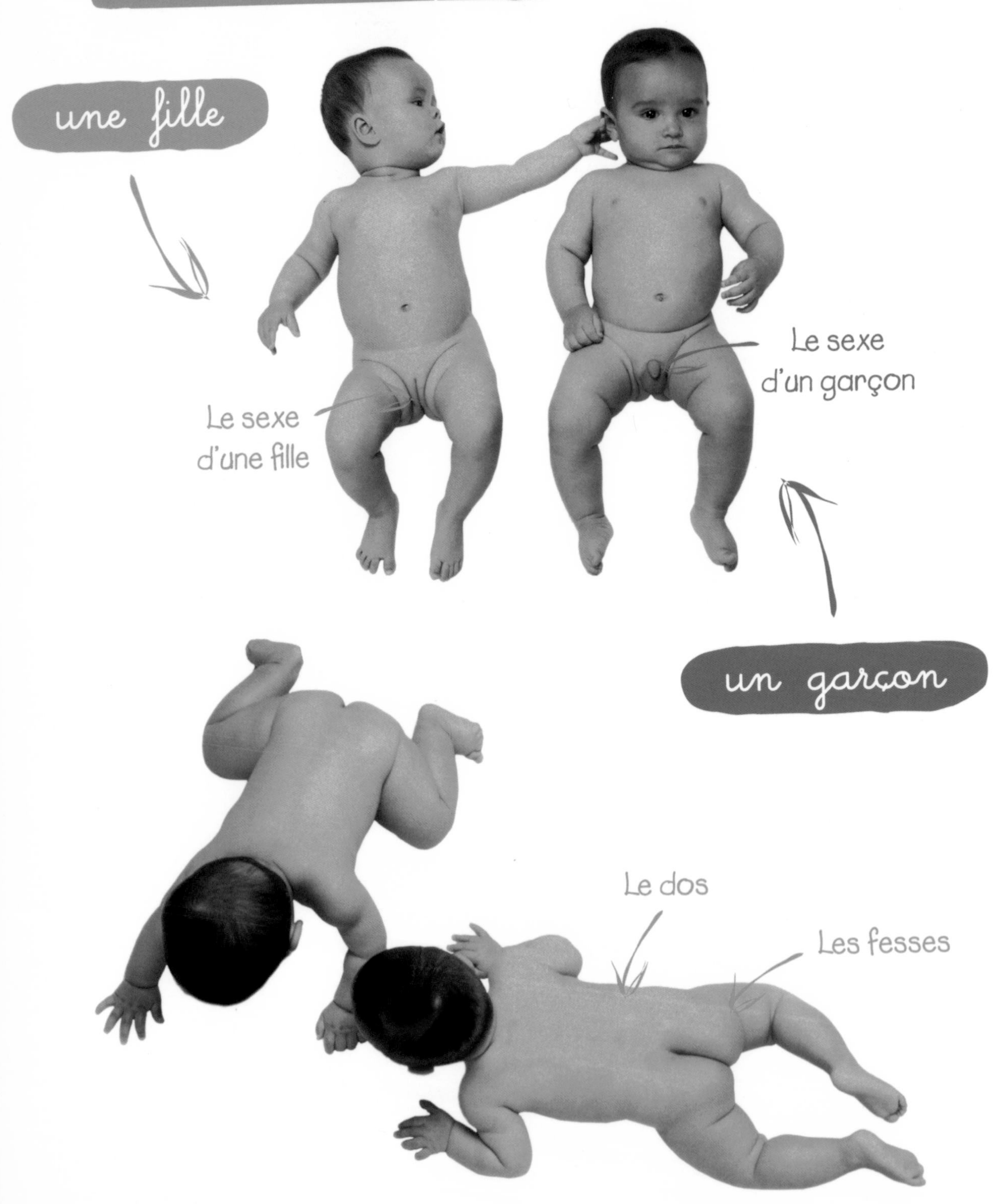

Tous les bébés se ressemblent un peu, mais les filles et les garçons ont un sexe différent.
De dos, c'est beaucoup plus difficile de les différencier !

les parties du corps

Regarde-toi dans une glaçe et fais bouger une à une les parties de ton corps. Tu t'apercevras que c'est vraiment « une drôle de machine » !

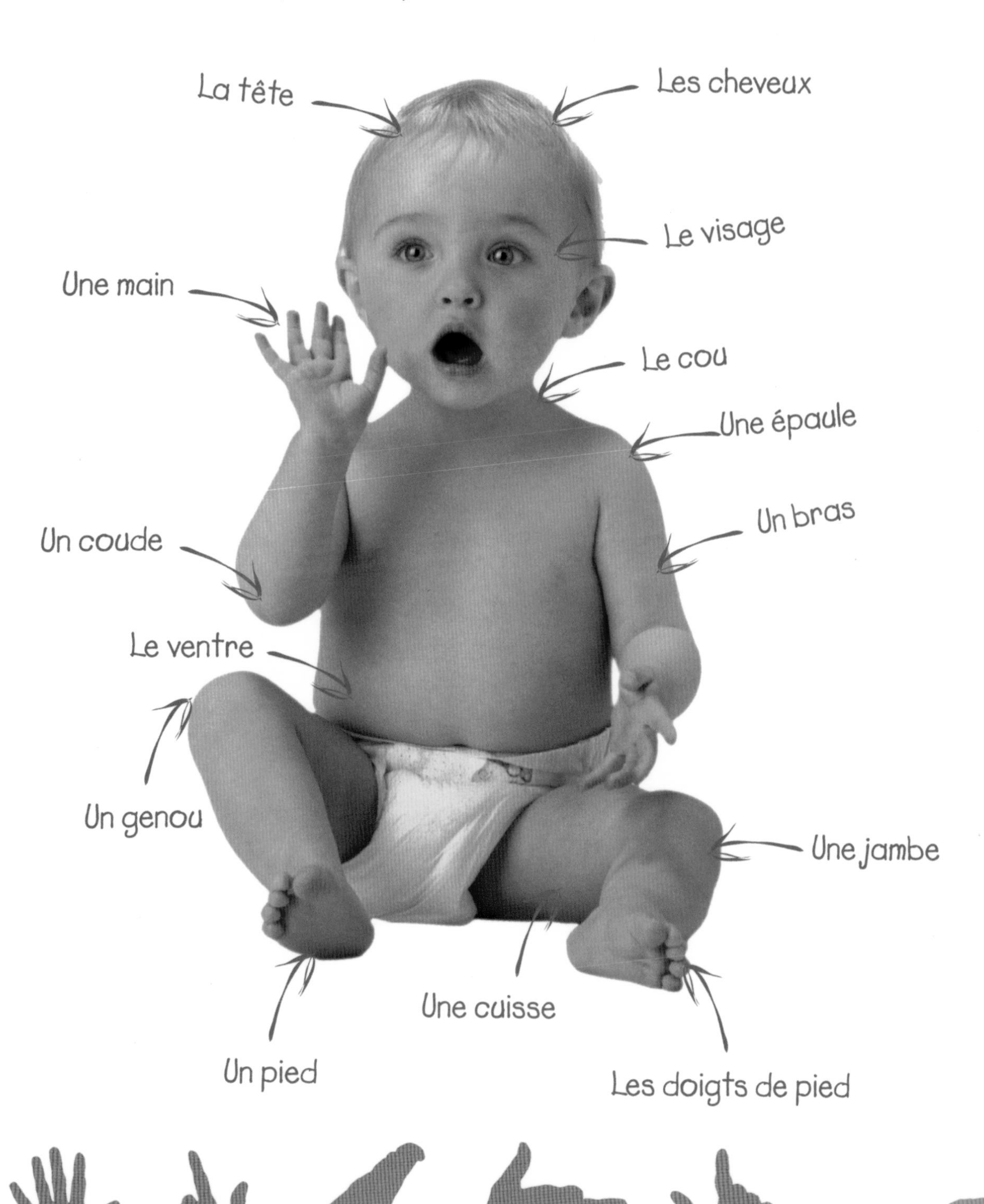

Je sens, j'entends...

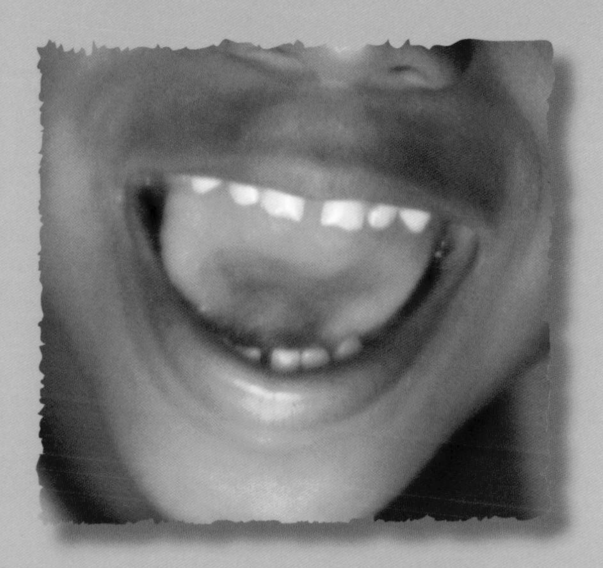

la bouche

Elle te sert à parler, à rire, à manger.

le nez

Il sert à respirer l'air et à sentir les odeurs.

les yeux

Avec eux, tu vois tout ce qui t'entoure.

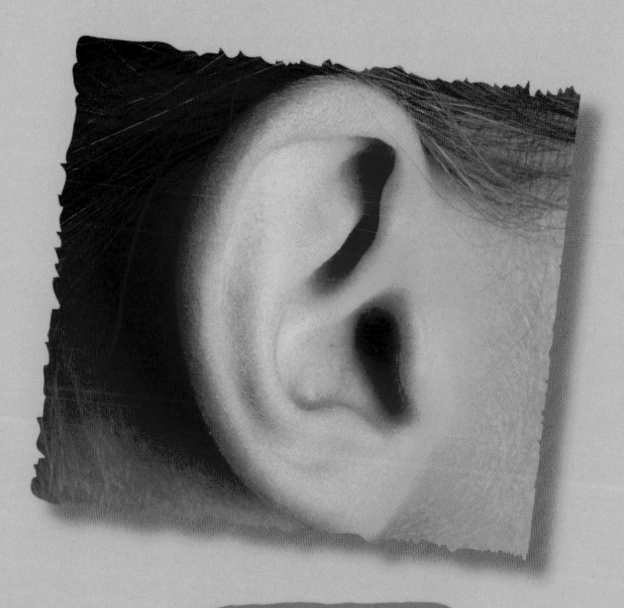

l'oreille

Tend l'oreille et écoute. Elle sert à ça !

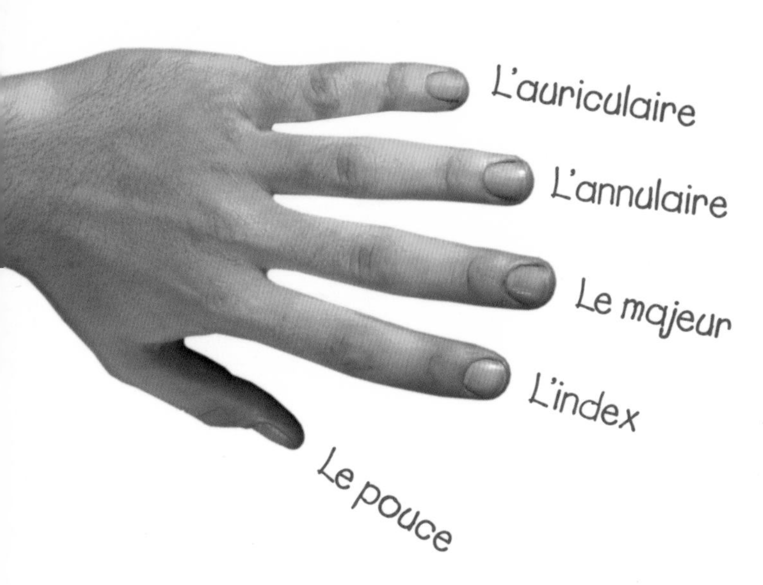

la main

Connais-tu le nom de chacun des doigts de ta main ?

la peau

Blanche, foncée... Il y a beaucoup de couleurs de peau.

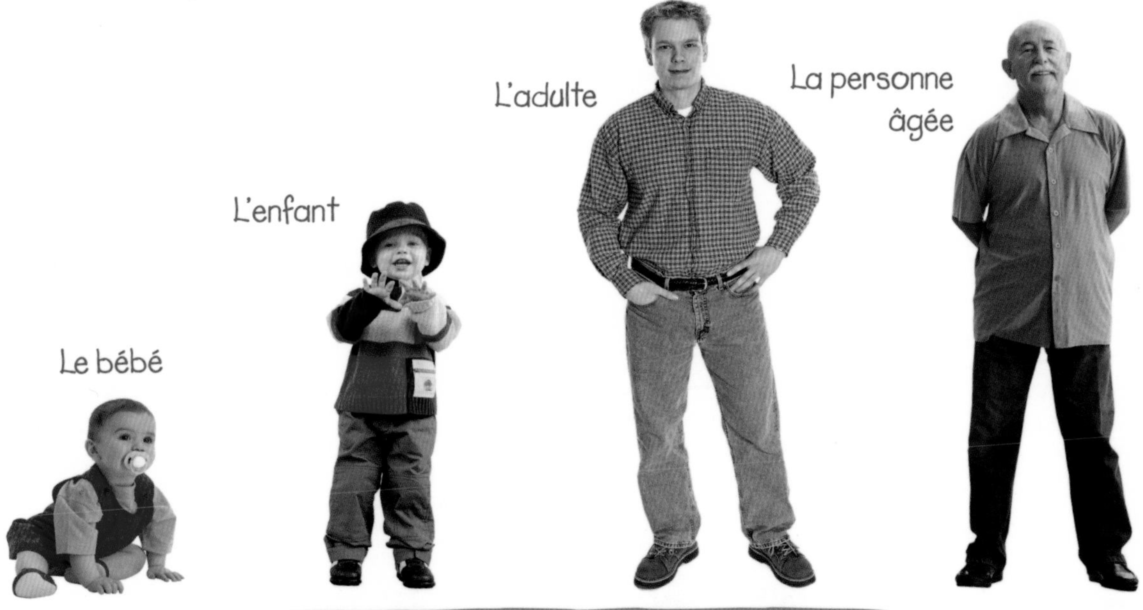

et quand tu grandiras ?

Un jour, tu es sorti du ventre de maman. Bébé, tu as appris à marcher, à parler. Et ce n'est pas fini ! Ton corps va encore changer, tu vas grandir et apprendre plein de nouvelles choses...

INDEX DES MOTS

Cet index a été conçu pour que vous y trouviez le plus de mots possibles.
Ainsi, il contient des renvois de pages faisant référence à chaque photo, mais également des renvois pour des mots figurant dans une légende photo ou visibles sur une image.

A

Abeille 11
Accessoires vestimentaires 83
Accordéon 64
Adulte 103
Affiche 73
Albatros 16
Algue 29
Aliments 30-43
Ambulance 92
Ananas 31
Âne 7
Animaux 6-23
Anneau 56
Annulaire 103
Antenne radio 86
Appareil photo 60
Apprendre 68-69
Aquarium 69
Araignée 13
Arbre 26
Ardoise magique 57
Armoire 50
Arrosoir 62
Assiette 42
Atelier 52-53
Attelage 85
Auriculaire 103
Automne 25
Avion 99

B

Baguette 34
Bain 48
Baleine 18
Balle 63
Ballon 63
Banane 31
Barque 96
Baskets 82
Batterie 65
Bavoir 43
Bébé 43, 54-55, 103
Benne 90
Bermuda 78
Bétaillère 89
Beurre 35
Biberon 43
Bilboquet 63
Bille 63
Biscuit 41
Blanchon 16
Blouson 80
Body 77
Bois 12-13
Bois (d'animaux) 12, 16
Boîte à formes 56
Boîte de rangement 52
Bonnet 80
Bonnet de bain 83
Bottes 82
Bottes de ski 82
Bouche 102
Boucherie 75
Boudoir 41
Boulangerie 75
Bourgeon 26
Bras 101
Break (voiture) 86
Bricolage (outils de) 52-53
Bretelles 83
Brosse à dents 49
Brûleur (de four) 45
Bulldozer 91
Bulles 60
Bus 94

C

Cabine 88
Cabinets 49
Cabriolet 87
Café 36, 45
Cafetière 45
Cagoule 80
Cahier 69
Caisse à outils 53
Calèche 85
Caleçon 77

Caméléon 22
Camion 88-89
- à grande échelle 93
- cabine (de) 88
- remorque 88
- poubelle 89
- de déménagement 89
- citerne 89, 93
- frigorifique 89
- toupie 90
Canadair 92
Canapé 47
Canard 8
Cantine 70
Carotte 33
Caserne 93
Casier 66
Casquette 83
Casserole 44
Castagnette 65
Ceinture 83
Céréales 35
Cerf 12
Cerf-volant 62
Cerise 31
Chair 31
Chaise 47
Chambre 50-51
Chamois 15
Champ 10-11, 24
Champignon 24
Chargeur télescopique 91
Chargeuse 91
Chat 8
Chaussette 77
Chausson 82
Chaussure 82
Chemise 79
Chemise de nuit 76
Chemisette 79
Cheval 7
Cheval à bascule 54
Chevalet 68
Cheveux 101
Chèvre 7
Chien 8
Chimpanzé 22
Chocolat 40
Chocolatier 40
Circuit 59
Clé à molette 52
Clou 52
Cobra 22
Coccinelle 11
Cochon 6
Coffre à jouets 50
Coin lecture 70
Cockpit 99
Collants 77
Colle 68
Col roulé 79
Coloriage 57
Compacteur 91
Compote 40
Concombre 32
Confiture 35
Congélateur 45
Coq 9
Coquelicot 27
Coquillage 28
Coquille 10
Corde à sauter 63
Corne 7
Corps humain 100-103
Cosse 32
Cou 101
Couche 76
Coude 101
Couette 50
Couleuvre 14
Cour de récréation 71
Courses (faire les) 74-75
Couteau 42
Couverts 42
Crabe 29
Craie 69
Crayon de couleur 57
Crêpe 41
Crocodile 21
Croissant 34
Croûte (de pain) 34
Cuillère en bois 44
Cuisine 44-45
- Ustensiles de 44
Cuisinière 45
Cuisse 101
Culotte 77
Cygne chanteur 16

D

Dauphin 18
Défense 17
Déguisement 81
Dehors 62-63
Deltaplane 98
Dentifrice 49
Dents 49
Dépanneuse 92
Dés 61
Dessert 40-41
Dessiner 56-57

Deux-roues 95
Dindon 9
Dînette 58
Doigt de pied 101
Dominos 61
Dortoir 71
Dos 100
Douche 49
Doudou 55
Douille 52

E

Eau 18-19, 36
Écharpe 80
École 66-71
Écureuil 12
Éléphant 20
Enfant 103
Enjoliveur 86
Épaule 101
Épicerie 74
Escargot 10
Établi 52
Été 25
Étoile de mer 28

F

Faim 38-39
Farine 34, 41
Félin 8, 23
Ferme 6-9
Ferry 96
Fesses 100
Feuille d'arbre 27
Feuille de chêne 33
Feutre 57
Figurines animaux 60
Fille 58, 100
Flûte à bec 64
- de pan 64
- traversière 64
Formule 1 87
Four micro-ondes 45
Fourchette 42
Fourgonnette 89
Fourgon-pompe-tonne 93
Fourmi 10
Frigo 45
Fromage 38
Fruits 30-31, 36, 40-41
Fusée 99

G

Galets 29
Gants 80
Garage 59
Garçon 59, 100
Genou 101
Girafe 21
Girophare 92
Glace 41
Gorille 22
Gouache 68
Grande cuillère 42
Grande ville 72
Grandir 103
Grenouille 13
Grenouillère 76
Guidon 85, 95
Guitare électrique 65
- sèche 65

H

Haricot vert 33
Harmonica 64
Hélicoptère 92, 98
Hérisson 10
Hibou 13
Hippopotame 21
Hirondelle 24
Hiver 25
Hochet 54
Hors-bord 97
Huile 37
Hyène 20

I

Immeuble 73
Imperméable 80
Index 103
Instruments
de musique 64-65
- à corde 65
- à percussion 65
- à vent 64

J

Jambe 101
Jambon 38
Jeu de plage 62
Jeux 54-65
- de cartes 61
- de dames 61
- de petits chevaux 61
- de société 61
Jonquille 26
Jouet 54-65
- de bain 55
- magasin (de) 74
- sonore 55
Jungle 22-23
Jupe 78
Jus d'orange 36

K
Kimono 81

L
Laine 6
Lait 36
Laitue 33
Lame 84
Lampe 47
Lapin 6
Lavabo 49
Lavande 26
Lave-vaisselle 45
Lecteur DVD 47
Légumes 32-33
Lettre 57
Lion 20
Lit 50
Livre 69
Loir 15
Loto 61
Loup 15
Lunettes de soleil 83
Lynx 14

M
Magasin (de jouets) 74
Maillot de bain 83
Main 101, 103
Maison 44-53, 73
Majeur 103
Manchot 17
Manteau 80
Maracas 65
Marchande 58
Marché 74
Marguerite 27
Marmotte 14
Marteau 52
Melon 31
Menu 70
Mètre 52
Métro 94
Meuble télé 47
Mie 34
Migration 24
Mobile 54
Monospace 86
Montagne 14-15
Morse 17
Moteur 96-97
Moto 95
- de course 95
Mouche 11
Moufles 80
Moule 62
Moutarde 37
Mouton 6
Moyens
de transport 84-99
Musique 64-65

N
Narcisse 26
Nature 24-29
Navette spatiale 99
Nez 102
Nid 27
Niveau 52

O
Œuf 9, 27, 39
Orange 30
Oreille 102
Orque 18
Osselets 60
Otarie 19
Ours 15
Ours polaire 17
Oursin 29
Outils
(de bricolage) 52-53, 59

P
Pain 34
- au chocolat 34
- tranché 34
Pâle d'hélicoptère 98
Panneau 73
Pantalon 78
Panthère 23
Paon 8
Papillon 13
Paquebot 97
Parachute 98
Parapente 98
Pare-brise 86
Paresseux 23
Patate 32, 38
Pâte
- à modeler 57
- à tartiner 35
Pâtes 39
Patins à glace 84
Peau 103
Peau (orange) 30
Pêche 30
Pédale 85
Peinture 68
Pelle 62
Peluche 55
Péniche 96
Pépin 32
Perceuse 53

Perle 56
Perroquet 23
Personne âgée 103
Pétale 26-27
Petit cube 56
Petit pois 32
Petit pot 43
Petit train 59
Petit vélo 85
Petit déjeuner 34-35
Petite cuillère 42
Phare 29, 86, 95
Phoque (blanchon) 16
Piano 65
- à queue 65
Pied 101
Pieuvre 19
Pigeon 9
Pinceau 53
Pingouin 17
Piquants (du hérisson) 10
Piscine à balles 62
Pissenlit 27
Pistolet à colle 53
Plage 28-29
Plaque
d'immatriculation 86
Pneu 86
Poêle 44
Poire 30
Poisson 39
Poisson-clown 19
Poisson pané 39
Poivre 37
Pôles 16-17
Police 92
Pomme 30
Pompiers (véhicules) 93
Poney 7
Portemanteau 66
Pot (de moutarde) 37
Pot d'échappement 95
Pouce 103
Poule 9
Poulet 39
Poupée 58
Poupon 58
Poussette 84
Poussin 9
Prés 10-11
Printemps 25
Pull-over 79
Pulpe 30
Purée 38
Pyjama 76

Q

4 x 4 87
Quartier (d'orange) 30
Quatre saisons 25

R

Rails 94
Raquettes 63
Râteau 62
Rayon 85
Rayure 21
Réacteur 99
Réfrigérateur 45
Régime (de banane) 31
Remorque 88-89
Renard 12
Renne 16
Requin 18
Réservoir d'essence 86
Rétroviseur 86, 95
Reverbère 73
Revue 69
Rhinocéros 20
Riz 38
Robe 78
Robinet 49
Rollers 84
Rose 26
Roue 84-87, 95
Roue arrière 95
Roue avant 95
Rouge-gorge 10
Rouleau 53
Roulette 84

S

Sable 28
Saison 24-25
Salade 33
Salle
- à manger 46
- de bains 48-49
- de classe 67
Salon 46-47
Salopette 78
Sandales 82
Sanglier 12
Saumon 39
Savane 20-21
Saxophone 64
Scie 52
Scie sauteuse 53
Scooter 95
Seau 62
Secours 92-93
Sel 37
Selle 85, 95
Serpent 14, 22

Serviette 49
Sexe (garçon et fille) 100
Short 78
Singe 22
Slip 77
Soif 36-37
Sous-pull 79
Sous-vêtements 76-77
Steak 39
Sucre 41
Supermarché 75
Survêtement 81
Sweat-shirt 79

T

Table 47
Table basse 47
Tableau 56, 67
Tablette de chocolat 40
Tablier 68
Tambour 65
Tamis 62
Tampon 69
Tapis de bain 49
Tarte 41
Tasse à bec 43
Tee-shirt 77
Télécabine 85
Téléphone 47
Tentacule 19
Tête 101
Thé 36
Tigre 23
Toboggan 63
Toile (d'araignée) 13
Toilettes 49, 71
Tomate 32
Tombereau 90
Tongues 82
Tortue 19
Tournevis 52
Tracteur 91
Traction (voiture) 87
Tractopelle 91
Train 94
Tramway 94
Transat 54
Travaux 90-91
Trombone 64
Trompe 20
Trompette 64
Trottinette 84
Trottoirs 73
Truelle 52

U

Ustensiles (de cuisine) 44

V

Vache 6
Vagues 28
Véhicule de secours routier 93
Veilleuse 50
Vélo 85
Ventre 101
Ver de terre 11
Verre 42
Veste 79
Vestiaire 66
Vêtements 76-83
Viande 39
- rouge 39
- blanche 39
- crue 39
- cuite 39
Village 72
Ville 72-75
Vinaigre 37
Violon 65
Vipère 14
Vis 52
Visage 101
Voilier 96
Voiture 86-87, 93
- 3 portes 86
- de pompier 93
- de formule 1 87
- Vieille voiture 87
- Voiture électrique 87
Véhicule utilitaire 86

W

W.C. 49

X

Xylophone 65

Y

Yacht 97
Yaourt 40
Yeux 102

Z

Zèbre 21

REMERCIEMENTS

Les Éditions Milan remercient pour leur collaboration à cet ouvrage :

Airbus ; Beaba ; Bébé Confort/Dorel France S.A. ; Groupe Smoby (jouets Berchet) ; Caterpillar SARL ;
Groupe César ; chantier naval Jeanneau ; Cipa 11 ; le magasin Castorama de Portet-sur-Garonne (31) ;
le magasin de jouets Le cirque à puces – 112 ter rue Marcadet/2 rue de Trétaigne – 75018 Paris ;
Corolle ; Crèche associative La Farandole - l'école maternelle Matabiau - la mairie de Toulouse ;
Décathlon Cycle ; France Telecom ; Honda Europe Motorcycle srl ;
DPAM (Du Pareil Au Même - toute l'équipe de l'enseigne de Toulouse) ;
M. Christian Guay, Société C .G. Paris – 61 rue Caulaincourt – 75018 Paris ; Électrolux Arthur Martin ;
H. SELMER, Paris ; Honda Europe Motorcycle srl ; IKEA France (www.ikea.fr) ;
JCB France (www.jcbfrance.com) ; Kiabi (madame Noëlle Martin de l'enseigne de Portet-sur-Garonne) ;
Land Rover ; Majorette Solido ; Mattel France ; Midi Music (Portet-sur-Garonne) ; Miele (www.miele.fr) ;
Noukie's/Amtoys ; RATP/DGC/Audiovisuel ; les pompiers du service départemental incendies et secours
de Haute-Garonne, centre de secours de Colomiers ; Renault Trucks - DPP Médiathèque ; SAMU 16 ;
Transports en commun lyonnais (TCL) ; SNCF ; SNCM ; Thalassor (www.thalassor.fr) ;
Toyota et Toyota Motorsport GmbH ; Toys Toys ; Villa le Bosquet (http://jouetsenbois.com) ;
Volvo Truck Corporation ; Yamaha Music France.

CRÉDITS PHOTOGRAPHIQUES

AGENCE BIOS PHONE : p. 24 : (hg) Philippe Van Dorsselaer, (hd) Jean-Louis Le Moigne, (bd) Bartomeu Borell ; p. 26 : (bg) Dominique Delfino.

AGENCE BSIP : p. 100 et p. 101 : Gyssels ; p. 102 : (bg) May, (bd) Will & Deni Mcintyre ; p. 103 : (hg) MBPL/Steve Schott, (hmg) MBPL/Ian Boddy, (hmd) Ablestock, (bg) Oxford Scientific.

AGENCE COLIBRI : p. 6 : (hg) G. Fleury, (hd) D. Magnin, (bg) F. et J.-L. Ziegler, (bd) R. Toulouse ; p. 7 : (hg) Ch. Testu, (hd), (bg), (bd) J. Joannet ; p. 8 : (hg), (hd), (bg) J. Pujol, (bd) F. et J.-L. Ziegler ; p. 9 : (hg) Negro/Cretu, (hd) L. Chaix, (bg), (bd) ; p. 10 : (hg), (hd), (bg), (bd) ; p. 11 : (hg) P. Richard, (hd), (bg), (bd) J. Delpech ; p. 12 : (hg), (hd) D. Alet, (bg), (bd) ; p. 13 : (hg), (hd), (bg), (bd) ; p. 14 : (hg), (hd), (bg) E. Janini, (bd) A.-M. Loubsens ; p. 15 : (hg), (bg) D. Magnenat, (hd), (bd) ; p. 16 : (hg), (hd), (bg) A.-M. Loubsens, (bd) J.-L. Paumard ; p. 17 : (hg), (hd), (bg), (bd) ; p. 18 : (hg) A.-M. Loubsens, (bg) P. Perez, (bd) ; p. 19 : (hg), (hd), (bg) A.-M. Loubsens, (bd) ; p. 20 : (hg), (hd), (bg), (bd) ; p. 21 : (hg), (hd), (bg), (bd) ; p. 22 : (hg), (hd), (bg), (bd) ; p. 23 : (hg) A.-M. Loubsens, (hd), (bd), (bg) A.-M. Loubsens ; p. 25 : P. Dupré ; p. 26 :(hd), (bm) Jean-Yves Lavergne, (bd) C. Cristof ; p. 27 : (hg) Jean-Yves Lavergne, (hd), (bg), (bm), (bd) ; p. 28 : (bd) L . Triolet ; p. 29 : (hg) A. Guerrier, (hm) L. Chaix, (hd) Jean-Yves Lavergne, (bg) D. Magnin, (bd) C. Guihard ; p. 30 : (hg), (hd) et (md) et (mg) S. Bréal ; p. 31 : (hg) et (bd) S. Bréal ; p. 32 : (hg), (hd), (bg), (bg) S. Breal ; p. 33 : (hg), (bg) S. Breal ; p. 62 : (hd) S. Bonneau ; p. 69 : (mg) S. Bréal, (md) Jean-Yves Lavergne ; p. 72 : (h), (b) ; p. 73 : (bd) ; p. 74 : (b) ; p. 85 : (h) M. Raynaud, (b) J. Dubois ; p. 87 : (md) F. et J.-L. Ziegler, (bg) J.-L. Ludovic de Lys ; p. 92 : (hd) L. Chaix ; p. 96 : (hg) M. Queral, (hd) P. Neveu ; p. 97 : (h) ; p. 98 : (hg) D. Alet, (hd) A. Roussel, (bg) L. Chaix, (bd) C. Simon.